Domitille de Pressen

émilie
en route pour l'école

Mise en couleurs : Guimauv'

émilie se réveille
de bonne heure.
vite, vite, elle se lève.

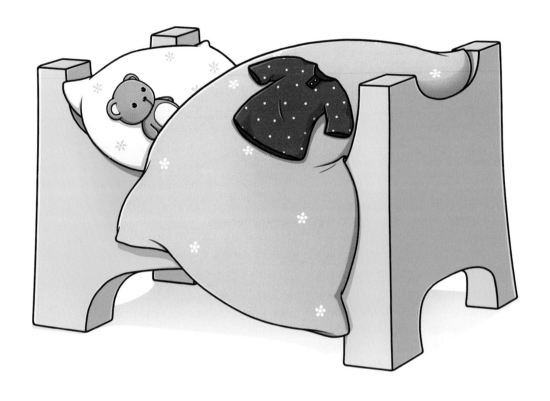

émilie est très fière.
c'est aujourd'hui son
premier jour d'école.

après sa toilette et
son petit déjeuner,

elle s'habille toute seule
et met ses **chaussures**
comme une grande.

émilie prend son sac.
et voilà, elle est prête !

poum ! fait quelque chose derrière elle.

son ours est tombé
du lit !

tu veux venir à l'école
avec arthur et moi ?
lui demande émilie.

sur le petit banc, elle
voit ses autres doudous.

mais vous allez rester
tout seuls !

vous voulez aussi
venir avec nous ?!

maintenant, émilie est
très chargée !

boum ! badaboum !
deux doudous
tombent par terre.

hop ! montez dans
le chariot et je vais
chercher les autres,
dit émilie.

son frère stéphane
arrive et demande :
mais qu'est-ce que
tu fais émilie?

arthur et mes doudous
veulent venir à l'école
avec moi.

quoi ?!

mais tu ne peux pas
les emmener en classe.
c'est interdit !

c'est pas vrai !

et d'abord, moi, je les emporte pour qu'ils ne restent pas tout seuls !

et **moi**, je sais bien qu'ils doivent rester ici, à la maison. hein, maman ?

maman dit :
ne t'inquiète pas
émilie.
je m'occuperai
de tes doudous
avec élise et arthur,
pendant que tu
seras à l'école.

ouf ! fait émilie rassurée.

oh, regarde qui est là,
s'écrie stéphane.

c'est sidonie !
elle vient nous chercher
pour aller à l'école.

coucou !
vous êtes prêts ?
ma maman nous attend
en bas du chemin.

j'arrive sidonie !

je dis au revoir à arthur
et à mes doudous.

à tout à l'heure, élise.

je te raconterai ce
que j'ai fait en classe.

en route pour l'école !

Mise en page : Guimauv'
www.casterman.com
© Casterman 2013

ISBN 978-2-203-06451-5
N° d'édition: L.10EJDN001138.N001
Achevé d'imprimer en juillet 2013, en Italie
Dépôt légal : août 2013 ; D.2013/0053/397
Déposé au ministère de la Justice, Paris (loi n° 49.956 du 16 juillet 1949 sur les publications destinées à la jeunesse).